Dirección editorial
María José Pingray

Coordinación de licencias
Ana Flores

Diseño gráfico
Analía Miranda

Traducción
Malén Vazquez

Asistente de edición
Jesica Ozarow

Corrección
Laura Junowicz

Producción industrial
Aníbal Álvarez Etinger

www.editorialguadal.com.ar

EL GATO DE HOJALATA, 2018

Anónimo
  WIFI Ralph / Anónimo ; coordinación general de María José Pingray ; editado por Ana Flores. - 1a ed. - Ciudad Autónoma de Buenos Aires : El Gato de Hojalata, 2018.
  64 p. ; 28 x 20 cm.
  ISBN 978-987-751-904-4
  1. Libro de Entretenimiento para Niños. I. Pingray, María José, coord. II. Flores, Ana, ed. III. Título.
  CDD 793.2054

UNA AVENTURA DE PELÍCULA

Ralph El Demoledor y Vanellope von Schweetz eran mejores amigos. ¡Hacían todo juntos! Ralph era el villano del juego de video Repara-Félix Jr. Y Vanellope era la mejor corredora de Sugar Rush.

Todos los días, después del **cierre** del Arcade del Sr. Litwak, Ralph y Vanellope se encontraban en la **Videoestación Central**, el lugar en donde se conectaban todas las máquinas de juegos. Allí pasaban el tiempo, jugaban, se contaban chistes malos y bebían cerveza de raíz. Terminaban cada noche mirando el amanecer. Sus vidas eran bastante perfectas.

Pero un día, apareció una nueva alerta de conexión.

La nueva conexión era para algo llamado **Wi-Fi**, que se conectaba a Internet.

—Internet no es algo gracioso. Es nuevo y es diferente —dijo Regulador de Voltaje—. Y por eso, deberíamos temerle. Así que **¡no se metan allí!**

Vanellope estaba decepcionada, quería ver de qué se trataba.

—Si allí hubiera un nuevo juego de carreras, sería fantástico —le dijo a Ralph. Le encantaba Sugar Rush. Solo que ya no era un desafío para ella. Entonces a Ralph se le ocurrió una idea.

Ralph entró a Sugar Rush y, **a los golpes**, armó una nueva pista para su amiga.

—¡Esto le va a encantar! —pensó.

Y así fue, pero Swati, la jugadora, pensó que Vanellope se había salido de su curso, así que giró el volante tan fuerte ¡que **se rompió** en sus manos!

Dentro del juego, Vanellope perdió el control de su auto y **chocó**.

—¡Oh, no! **Perdóname.** ¿Estás bien?

—¡Dios, eso fue tan **divertido**! ¡Qué pista genial! ¡Gracias, gracias, gracias!

El señor Litwak intentó volver a instalar el volante, pero **se partió** en dos. Y no se podía pedir uno nuevo.

—La empresa que hizo Sugar Rush **quebró** hace unos años —dijo.

Swati buscó en Internet desde su teléfono.

—**Encontré uno**. Mire, en eBay hay uno, señor Litwak.

Cuesta más de lo que da el juego en un año. Odio tener que decir esto, pero quizás haya llegado la hora de **vender** Sugar Rush por partes.

Ralph hizo sonar la **alarma**.

—¡Litwak va a desenchufar tu juego!

Los personajes de Sugar Rush corrieron hacia la Videoestación Central tan rápido como pudieron.

—Quédense aquí hasta que cierre la sala de juegos —dijo Regulador de Voltaje—. Después veremos dónde diablos los ubicaremos.

Ralph llevó a Vanellope dentro de Repara-Félix Jr. Hizo todo lo que pudo para hacerla sentir cómoda, pero Vanellope se sentía **perdida.**

—Si ya no soy una corredora, **¿quién soy?** —dijo.

Mientras tanto, Félix y Calhoun estaban ayudando al resto de los personajes de Sugar Rush a encontrar un nuevo hogar. Los únicos que quedaron sin juego fueron los **corredores**. Calhoun sintió pena por ellos.

—Félix y yo los cuidaremos —declaró.

Regulador advirtió a la pareja que **no estaban listos** para cuidar de preadolescentes.

—Básicamente, son criaturas salvajes —les dijo.

Félix y Calhoun no estaban preocupados.

—Ser padres... ¿qué tan difícil puede ser? —contestó Félix.

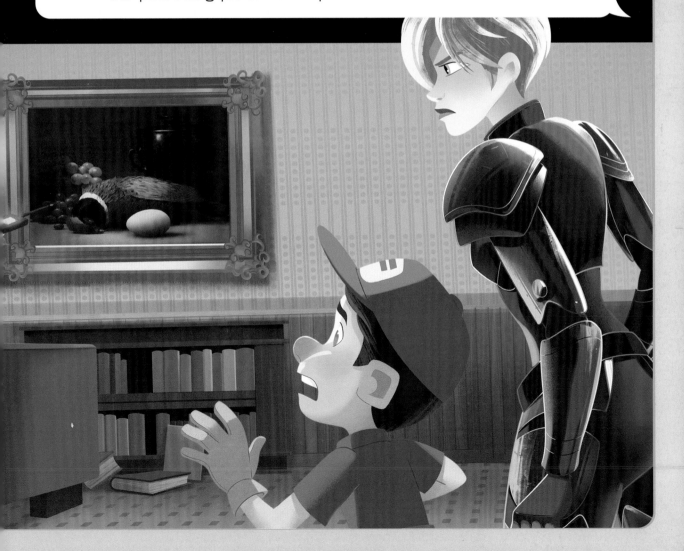

Esa noche, Ralph y Félix fueron a beber cerveza de raíz. De pronto, Ralph recordó haber escuchado que Swati encontró el volante de Sugar Rush en **eBay**.

Ralph pensó que si arreglaban Sugar Rush, Vanellope volvería a ser feliz y los corredores que estaban en el departamento de Félix podrían regresar a su casa.

Ralph corrió a buscar a Vanellope.

—¡Iremos a Internet! —dijo.

¡Vanellope estaba muy entusiasmada! Los dos corrieron hacia la Videoestación Central.

Ralph y Vanellope se escabulleron detrás de Regulador de voltaje y entraron en la conexión de Wi-Fi. La primera parada era un enorme espacio vacío: el **router.**

Pero Vanellope pensó que ya estaban dentro de Internet.

—Tengo que admitirlo, estoy un poco decepcionada —dijo.

Justo en ese momento, Liwak entró en Internet y un **avatar** de él apareció flotando en el router.

—¡Oh! ¡Es un duende! **¡Aléjate!**

—Parece un señor Litwak en **miniatura**.

—Vamos, Ralph —dijo Vanellope mientras observaba la imagen de Litwak—. ¡Sigámoslo!

Cuando los dos avanzaron, fueron encerrados en cápsulas y depositados dentro de Internet.

—Ralph, ¿no te parece **genial** esto? —preguntó Vanellope.

—**No, ¡no me parece!** —gritó Ralph.

Vanellope y Ralph fueron depositados suavemente en medio de Internet. ¡El lugar era **enorme**! Definitivamente necesitarían ayuda para encontrar eBay.

Knowsmore, un amigable motor de búsqueda, los ayudó con gusto. Cuando le dijeron lo que debía buscar, apenas le tomó unos microsegundos encontrar el volante de Sugar Rush.

Vanellope y Ralph fueron transportados **rápidamente** a la plaza eBay. Era un lugar muy concurrido, lleno de **avatares** y publicidades de **ventanas emergentes**. Pero no tenían tiempo para mirar todo. ¡Tenían que apurarse si querían conseguir el volante!

Ralph y Vanellope llegaron a la subasta **treinta segundos** antes de que terminara.

—Dos con setenta y cinco por aquí —dijo el presentador—. ¿Alguien ofrece tres?

—**¡Tres!** —dijo Ralph.

Vanellope y Ralph pensaban que todo lo que tenían que hacer era decir un **número más alto** para ganar. Pronto la subasta subió tanto que el primer comprador se retiró. Pero Ralph y Vanellope continuaron hasta que...

"Sugar Rush"
For vintage arcade cabinet: New condition 19...

Seller information:
ajohnston (98 ⭐)
99% Positive feedback

Current bid: **275.00**

POWER UP

00d 00h 00m 31s

—**¡Vendido!** —dijo el presentador—. ¡A veintisiete mil uno!

Los dos amigos estaban felices, ¡hasta que entendieron que debían pagar **$27.001**! Si no pagaban antes de 24 horas, perderían el volante.

Ralph y Vanellope volvieron a donde estaban los avisos de ventanas emergentes que habían visto antes. Quien los manejaba se llamaba **JP Spamley**. Él y su socio, Gord, les mostraron una lista de objetos que había dentro de diferentes videojuegos. Si encontraban esos objetos, ganarían dinero.

Uno de los objetos de Slaughter Race valía más que lo que necesitaban recaudar. Le pertenecía a Shank, la **corredora más temible** del juego.

—Todo lo que tienen que hacer es traerme el auto de Shank —dijo Spamley.

Ralph y Vanellope llegaron a Slaughter Race y vieron dos avatares de jugadores intentando robar el auto. ¡Pero Shank y su equipo los sacaron del juego!

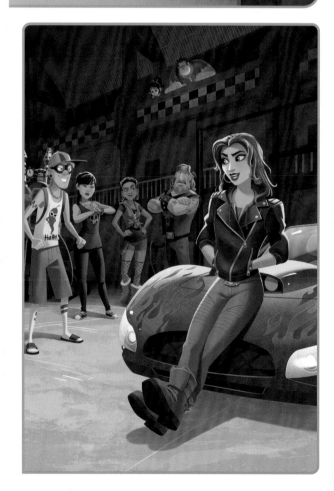

Ralph tuvo una **idea**. Distrajo a Shank para desviar su atención del auto. Rápidamente, Vanellope se colocó detrás del volante y apretó el acelerador. Ralph saltó al asiento del acompañante.

Pero Shank no se rendiría tan fácilmente. ¡Subió a otro auto y comenzó a perseguirlos!

Shank **acorraló** a Ralph y a Vanellope antes de que pudieran llegar al final del juego y salir con el auto.

Ralph le explicó que estaban intentando salvar Sugar Rush. De pronto, ¡un integrante del equipo de Shank le apuntó con un soplador de hojas mientras otro filmaba todo!

Shank dijo que podían juntar dinero subiendo **videos graciosos** como ese a BuzzzTube. Su amiga Yesss los administraba.

—Dile que vas de mi parte.

Cuando se estaban yendo, Shank felicitó a Vanellope.

—Si alguna vez quieres volver por la **revancha**, será un gusto volver a ganarte.

Cuando llegaron a la puerta de Slaughter Race, Vanellope comenzó a dar saltitos de la emoción. No solo le encantaba ese juego, sino que además Shank le agradaba.

—**Luce genial, maneja genial**, su auto **es genial**.

Pero Ralph no confiaba en Shank.

En ese momento, apareció un mensajero.

—Solo estoy aquí para decirles que su subasta expira en ocho horas —dijo.

—**Gracias, e-chico** —dijo Ralph.

Vanellope convenció a Ralph de que su mejor opción para recaudar el dinero era encontrar a Yesss de BuzzzTube. Sin estar del todo de acuerdo, Ralph aceptó.

En BuzzzTube, Ralph entró en la oficina de Yesss.

—¿Eres la persona a cargo de Al Gore? —preguntó.

Yesss respondió que estaba a cargo del **algoritmo** principal y que también era la curadora de todo el contenido de BuzzzTube.

—Llamen a seguridad —dijo.

Pero cuando su asistente le dijo que el video que habían filmado de Ralph con la sopladora de hojas tenía más de un millón trescientos mil corazones, Yesss cambió de opinión.

—Bueno, Ralph El Demoledor, **¡eres tendencia!** Y esto es para ti —dijo, mientras le daba un montón de corazones.

 —No quiero arruinar el festival de corazones, pero Shank nos dijo que los videos virales generan **dinero** de verdad...

—Oh, pero los corazones son dinero de verdad.

Pero la popularidad del video de Ralph estaba empezando a decaer. Ralph le dijo a Yesss que **necesitaban $27.001** para comprar el volante en eBay. Yesss dijo que para hacer eso, necesitaban algo más que videos de Ralph para poner en BuzzzTube.

Yesss movilizó a todo el equipo de BuzzzTube que se encargaba de los avisos emergentes para que llenaran Internet con ellos y lograran conseguir muchos corazones. Vanellope se ofreció a ayudar. Después de probarle a Yesss que podía ser **persistente** y **molesta**, Vanellope se subió a una limusina que la llevó a un sitio muy popular...

OhMyDisney.com

OMD estaba lleno de fanáticos dispuestos a hacer clic en el aviso de Vanellope.

Pero Vanellope no tenía permiso para estar allí, así que tuvo que esconderse para evitar que la atraparan. Por una **falla técnica** logró atravesar una puerta que estaba cerrada ¡y de pronto se encontró cara a cara con **avatares** que representaban a las Princesas de Disney!

Vanellope les dijo que ella también era una princesa, la princesa de Sugar Rush. A las princesas les encantó el **estilo informal** de Vanellope para vestirse. ¡Rápidamente, todas terminaron vestidas con ropa cómoda, como ella!

—¡Viva la Princesa Vanellope, la reina de la comodidad! —dijo Cenicienta.

Mientras tanto, en BuzzzTube, Ralph solo necesitaba un nuevo video exitoso para terminar de recaudar el dinero para el volante. Mientras Yesss intentaba solucionar unos problemas para subir el video, Ralph entró en una habitación con miles de comentarios. Ralph pensaba que todos lo querían, pero estaba equivocado. ¡Algunos usuarios lo **odiaban**!

Ralph los ignoró.

—No me importa —le dijo a Yesss—. Mientras que Vanellope me quiera, no necesito a nadie más.

Cuando Yesss terminó de subir el video, ¡este se convirtió en un **éxito inmediato**! Y así lograron juntar todo el dinero que necesitaban para arreglar Sugar Rush.

Camino a eBay, Ralph llamó a Vanellope para decirle que iba a comprar el volante ¡y que podrían volver a casa!

Pero después de que cortó el teléfono, Vanellope se dio cuenta de que no quería irse de Internet. Había algo en Slaughter Race que la atraía. Era un juego nuevo, **interesante** e **impredecible**. A Vanellope le gustaba tanto que empezó a cantar sobre él.

Al mismo tiempo, Ralph celebró la compra del volante en eBay. ¡Había salvado a Sugar Rush!

Cuando Ralph se fue de eBay, contactó a Vanellope a través de una aplicación llamada BuzzzFace. Su teléfono vibró sobre el tablero del auto y **atendió la llamada** cuando cayó abierto sobre el asiento. Entonces Ralph pudo ver que Vanellope estaba con Shank en Slaughter Race. Pero como la llamada de Ralph estaba en silencio, Vanellope no sabía que él las estaba viendo.

Cuando dejó de hablar, Ralph escuchó que Vanellope le decía a Shank que le **encantaba** Slaughter Race, tanto que no pensaba volver a Sugar Rush.

Ralph se sentía **devastado**.

Spamley estaba con Ralph y escuchó todo lo que dijo Vanellope. Spamley tuvo una idea. ¿Y si Ralph pudiera hacer que Slaughter Race funcionara más lento para que Vanellope **perdiera interés** en el juego?

Spamley llevó a Ralph a ver al primo de Gord, Doble Dan. Doble Dan podría fabricar un virus que haría que el juego funcionara lento.

El virus, que se llamaba Arthur, estaba en una caja. Doble Dan se la mostró a Ralph y le hizo una **advertencia**:

—Tienes que asegurarte de que el virus se quede dentro de Slaughter Race.

Vanellope estaba en la mitad de una carrera cuando Ralph soltó el virus. Funcionó de inmediato. Revisó todo lo que había en Slaughter Race, buscando **debilidades**. Cuando Vanellope cayó en una falla técnica, el virus copió el error ¡y lo diseminó por todo el juego!

INSECURITY DETECTED

Mientras el juego titilaba y se sacudía, los edificios de Slaughter Race empezaron a **caerse**. Shank le dijo a Vanellope que tenían que irse.

—Creo que es mi **falla técnica**. No sé por qué está pasando esto —dijo Vanellope. Intentó salirse del camino, pero un rayo cayó sobre su auto.

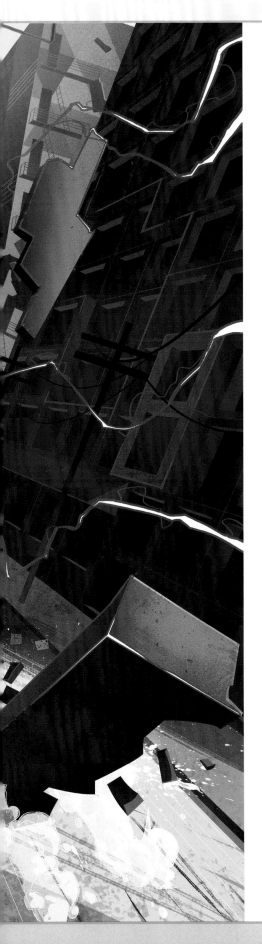

Ralph se preocupó cuando vio que algunas partes del sitio comenzaron a caer cerca de él. Pero lo único que le importaba era Vanellope. Sabía que como Vanellope no era parte del código de Slaughter Race, desaparecería para siempre si el juego se rompía.

Ralph golpeó la pared del juego e hizo un agujero. Por allí se llevó a Vanellope después de rescatarla de su auto roto. La llevó hasta una vereda, afuera del juego.

—Vamos, Vanellope, despierta —le dijo—. **No puedo vivir sin ti.**

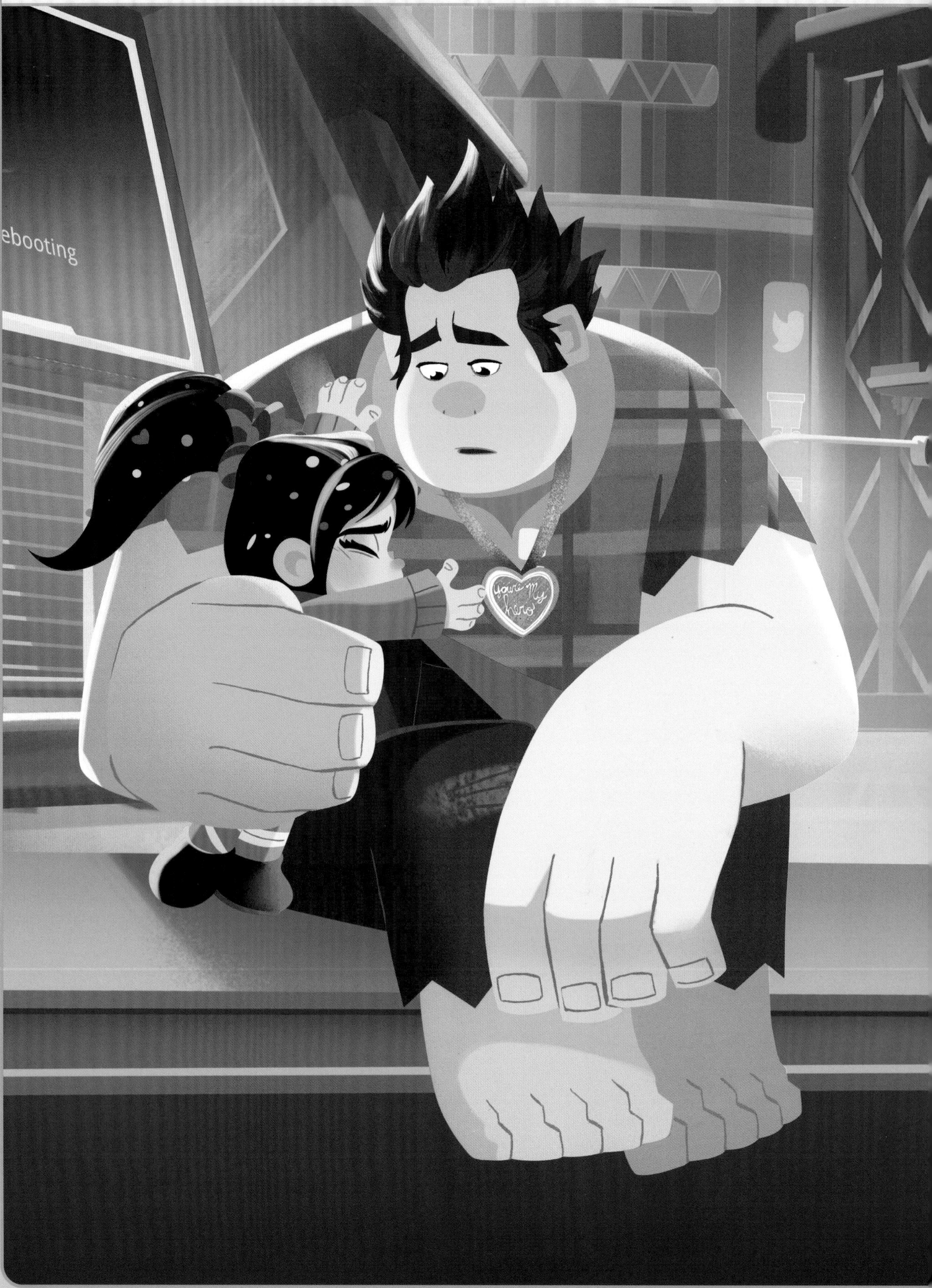
ebooting
You're my hero!

Finalmente, los ojos de Vanellope se abrieron. Se culpó a ella misma por destruir el juego.

Pero Ralph admitió que él había soltado el virus.

—¿Tú hiciste esto? —dijo. ¡Vanellope estaba **furiosa**! Arrojó la medalla que le había hecho a Ralph hasta las profundidades de la Red Antigua.

—¿Por qué debería volver a interesarme en pasar tiempo contigo después de lo que hiciste? —dijo Vanellope, dio media vuelta y se fue.

Ninguno de los dos notó que el virus se había escurrido por el agujero que hizo Ralph. Empezó a revisar todo a su alrededor y se concentró en Ralph.

Inseguridad detectada. Distribuyendo inseguridad.

En las profundidades de la Red Antigua, Ralph buscó su medalla.

—Eres tan tonto —se dijo a sí mismo. Cuando la encontró, descubrió que se había **roto por la mitad**.

De pronto escuchó un fuerte ruido detrás de él. Una figura familiar lo estaba mirando.

—Oh, no —dijo Ralph—. ¿Qué hice?

Mientras tanto, Vanellope llegó hasta Knowsmore. El motor de búsqueda estaba más que feliz de verla.

—¡Hay un montón de Ralphs persiguiéndome! —dijo ella.

—**Ajá, qué interesante** —dijo él.

Mientras los clones de Ralph se acercaban, Knowsmore y Vanellope cerraron la persiana de la oficina de Knowsmore.

En ese momento, apareció el verdadero Ralph.

—¿Qué has hecho? —le preguntó Vanellope.

Knowsmore le explicó que los clones de Ralph habían sido creados por un virus de **inseguridad**. Si lograban que los clones regresaran al Distrito Antivirus, un programa de seguridad podría borrarlos.

Vanellope sabía que si uno de los clones lograba verla, **la seguirían**. Solo necesitaba un amigo con medio de transporte.

Una vez que Yesss llegó con su limusina, Vanellope **se asomó** por el techo.

—Soy yo, tu mejor amiga del mundo entero, ¡sin la que no puedes vivir! —les gritó a los clones.

Los clones, desesperados, corrieron hacia Vanellope y subieron a la limusina, ¡y entonces el vehículo **salió volando** por la ventana del rascacielos! Todos estaban bien, pero no por mucho tiempo. Millones de clones se fusionaron en un clon **gigante** de Ralph, ¡que los miraba enfurecido a través del agujero en la pared!

El Ralph gigante tomó a Vanellope y subió a la cima del rascacielos. Ella logró escaparse de su mano, pero luego el clon atrapó a Ralph y empezó a **apretarlo**.

Vanellope **le rogó** que se detuviera.

—Si lo dejas ir, prometo que seré tu amiga para siempre.

Pero Ralph dijo que no. Le dijo al clon que no podía arruinar los sueños de Vanellope.

—Dolerá un poco, pero debes dejarla ir —le dijo. Y luego miró a Vanellope—. Y nosotros estaremos bien, ¿verdad, niña?

—Claro que sí —dijo Vanellope—. **Siempre**.

Ralph sonrió y sintió que sus inseguridades **disminuían**, hasta **desaparecer**. De pronto, ¡los clones empezaron a desvanecerse! ¡Internet estaba a salvo!

Ralph y Vanellope se prepararon para **despedirse**, al menos por ahora. Slaughter Race volvería a funcionar y Shank había agregado el código de Vanellope al del juego, para que ella pudiera regenerarse.

Ralph le dio a Vanellope la mitad de su medalla de héroe.

—Ahora los dos podemos quedarnos con una mitad —dijo.

Vanellope le dio un **gran abrazo** a su amigo.

—Te quiero tanto. De verdad voy a extrañarte mucho.

De vuelta en el salón de juegos, Ralph descubrió que la ausencia de Vanellope no era lo más extraño que había sucedido en Sugar Rush. Ahora los corredores se trataban mejor. Y hasta Félix y Calhoun parecían **cambiados** luego de su experiencia como padres.

 —El secreto de ser padres es **simple**. Todo lo que tienes que hacer es...

¡¡¡BRRRRRRRUUUUMMMMMM!!!

 —¡Y listo, los niños serán **perfectos**!

Ralph y Vanellope siguieron siendo **mejores amigos**. Aunque ya no estaban todo el día juntos, usaban BuzzzFace para mantenerse en contacto. Vanellope se convirtió en una de las mejores corredoras de Slaughter Race. Y Ralph estaba feliz de volver a ser el villano de Repara-Félix Jr.

FIN